Il babbo trovò una sistemazione per ciascuno di loro in macchina. Marco non era soddisfatto.

Quando arrivarono alla spiaggia,
Ruggero andò alla ricerca di conchiglie.

Vi andò anche Caterina,
ma non riuscì a trovarne.

La mamma gridò a Marco: «Smettila di arrampicarti sugli scogli è pericoloso!»

Poi Ruggero andò in cerca di fossili.

«Questo è un fossile?» chiese Ruggero.

I ragazzi sommersero Caterina nella sabbia.
«Devi stare coperta,» disse Ruggero.

Marco e Caterina si misero a scavare nella sabbia...

«La spiaggia ha un buco», si lamentò Ruggero
quando vi finì dentro.

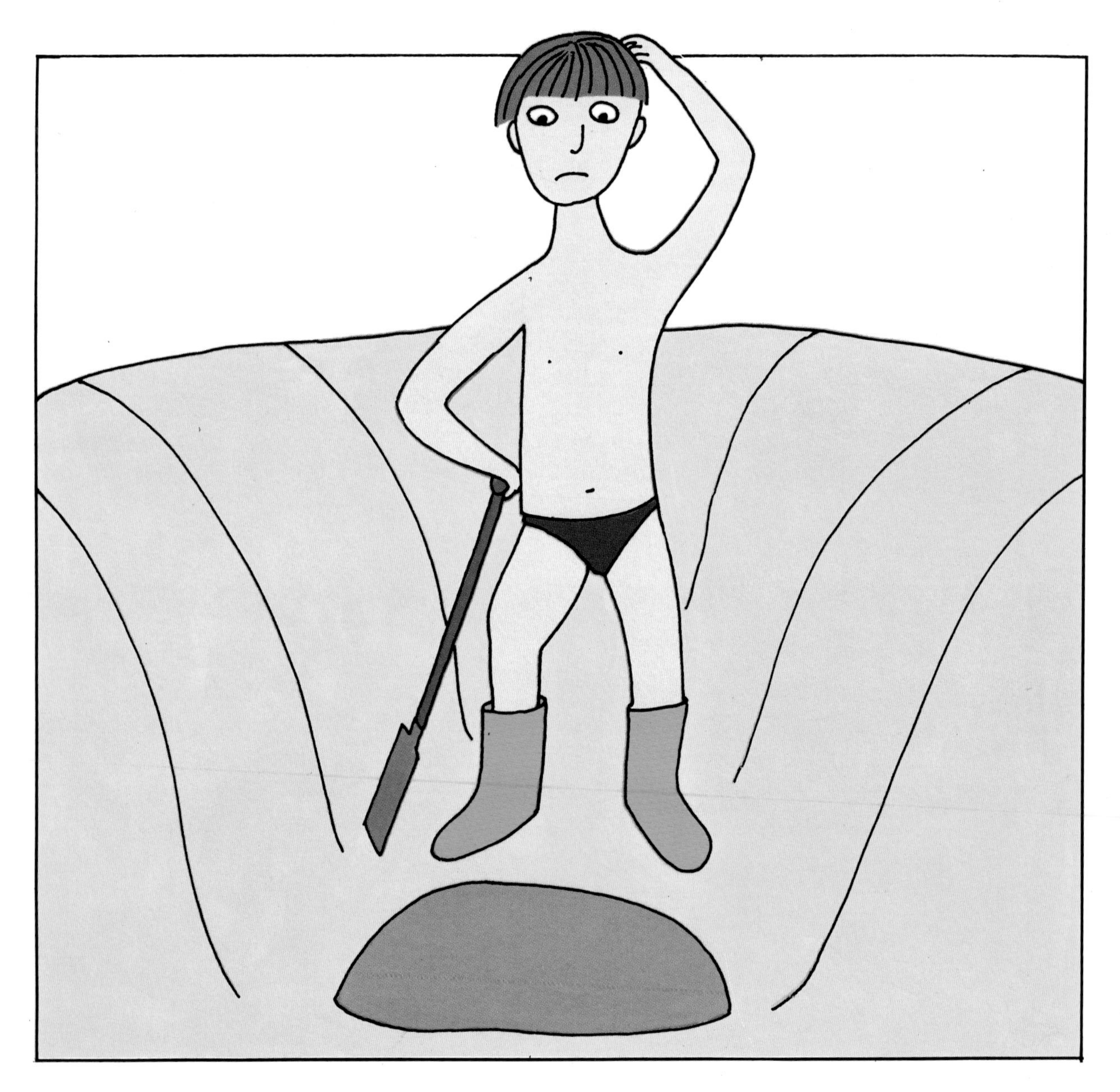

Marco si imbattè in un grosso sasso
e non potè continuare a scavare.

«Papà vieni ad aiutarmi!» supplicò Marco.
«Sono occupato a leggere questo libro», rispose il babbo.

Poi il babbo dovette mettersi a tirare il masso che,
all'improvviso, venne fuori. «Povera la mia schiena!» si lamentò.

«Guardate! Un tesoro!» gridò Marco eccitato.

Ruggero si immaginò di essere un pirata.

Ad un tratto si accorse dell'alta marea...
«Aiuto! Papà! Aiuto!» urlò.

In un attimo il babbo avanzò fra le onde marine
e lo recuperò.

Per tenerlo su di morale il babbo comperò a
Ruggero lo zucchero filato.

Caterina, Marco e Ruggero incontrarono Giulia, Stefano e Alice.

«Le ragazze sono svenevoli», disse Ruggero.

«I ragazzi sono stupidi», disse Giulia.

«I fratellini sono una seccatura», disse Caterina.
«Anche le sorelline», ribattè Stefano.

«Come stanno bene insieme», disse il babbo.
«Sei bambini danno meno problemi di tre».

Mamma e papà decisero di portare
Caterina, Marco e Ruggero sulla spiaggia.

Avventure sulla spiaggia

Scritto e illustrato da John Light

Traduzione di Luciana Dagrada

Pubblicato da Child's Play (International) Ltd

Swindon **Bologna** **New York**

 ISBN 0-85953-605-X Printed in Singapore

Ristampa 1990